Cogadh na bhFrídíní

Kate Rowan

Katharine McEwen

a mhaisigh

Máire Uí Mhaicín

a rinne an leagan Gaeilge

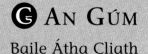

An Gúm

Baile Átha Cliath

'A-SIÚÚÚ!"

Lig Eoin

sraoth ollmhór.

6

'Dia linn, a Eoin!' arsa Mam.
'Nach bhfuil ciarsúr agat?'
Leis sin tharraing sí ciarsúr
as a póca féin agus ghlan sí
a shrón.

'Go raibh maith agat,'
arsa Eoin, agus lig sé
sraoth eile.
'A-SIÚ!'

'Tá slaghdán ort,'
arsa Mam.

'Tá,' arsa Eoin, 'agus tuigim cén fáth a mbím ag sraothartach nuair a bhíonn slaghdán orm. Nuair a ligim sraoth séidim frídíní an tslaghdáin as mo cholainn.'

Sraoth

'Séideann tú, cinnte,' arsa Mam. 'Ach is mar sin a théann na frídíní ó dhuine go duine. Sin é an fáth ar cheart duit breith ar an sraoth i gciarsúr. Má théann na frídíní sin fad le duine eile seans go dtiocfaidh slaghdán air siúd freisin.'

'Ó,' arsa Eoin,
'an mar sin
a tháinig
an slaghdán orm féin?'

'Is dócha é,' arsa Mam.
'Is dócha gur ó dhuine éigin
ar scoil a fuair tú é.'

A-SIÚÚÚ!

'D'fhoghlaim mé faoi na frídíní ar scoil,'

arsa Eoin. 'Deir mo mhúinteoir,

gur féidir le duine frídíní a shéideadh

achar fada uaidh, suas le deich méadar.'

'Achar fada é deich méadar, gan amhras,' arsa Mam.
'Sin fad trí eilifint ina seasamh as a chéile ina líne!'

Rinne Eoin gáire. 'Níor mhaith liom a bheith
in aice le heilifint nuair a ligfeadh sé sraoth!'

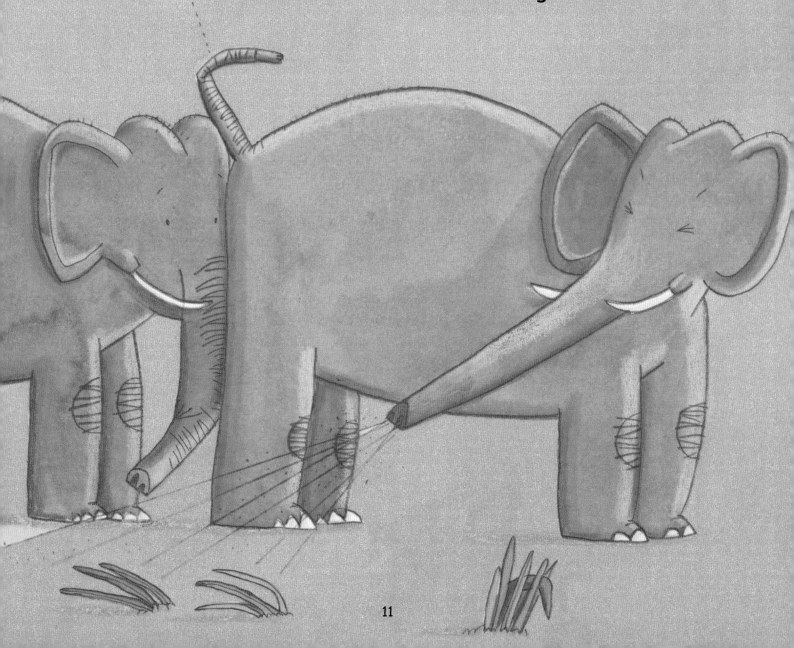

'A-SIÚ!'
D'fhéach Eoin ar
a chiarsúr agus
ar seisean:
'An féidir na frídíní
a fheiceáil?'

'Ní féidir,' arsa Mam,
'tá siad róbhídeach.
Fiú na frídíní is mó
tá siad chomh beag sin
go rachadh na céadta míle
díobh ar bharr d'ordóige.
Ní féidir iad a fheiceáil
ach faoin micreascóp.'

micreascóp

'Cuirfidh mé geall
go bhfuil na MILLIÚIN
frídíní ionamsa,' arsa Eoin.

'Na BILLIÚIN!' arsa Mam.
'Ach ní fhaighimid tinneas
ó na frídíní go léir.
Nuair a éirímid tinn,
cuireann ár gcolainn cath
ar na frídíní dána.'

'Tá a fhios agam é sin,' arsa Eoin.
'Tá rud éigin i mo chuid fola
a chuireann cath ar na frídíní.'

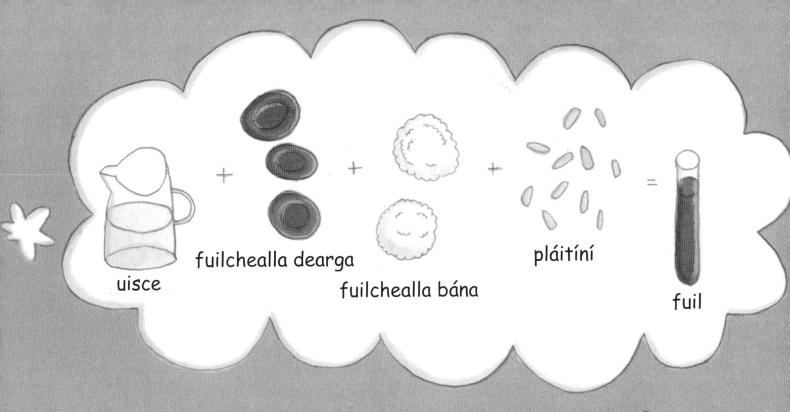

uisce

fuilchealla dearga

fuilchealla bána

pláitíní

fuil

'Tá an ceart agat,' arsa Mam.
'Uisce atá i leath do chuid fola
ach tá rudaí eile san fhuil freisin.
Tá cealla inti, **fuilchealla dearga**
agus **fuilchealla bána**. Agus giotaí
de chealla a dtugtar **pláitíní** orthu.'

'Agus an mar gheall ar
na fuilchealla dearga
atá dath dearg ar
mo chuid fola?' arsa Eoin.

'Is ea,' arsa Mam.
'Ach is iad na fuilchealla bána
a scriosann na frídíní.
Déanann siad
ceimiceáin speisialta
a scriosann na frídíní.'

'Maith iad!' arsa Eoin.

'Mo ghraidhin na fuilchealla!'

Agus lig sé sraoth eile.

17

frídín deilgní

'B'fhearr duit do chóta
a chur ort,' arsa Mam.
'Cabhraíonn an teas leat
troid in éadan slaghdáin.'

'Tá go maith,' arsa Eoin.
'Ach tá drochfhrídíní
eile ann freisin,
nach bhfuil?
Mar nuair a bhí
an deilgneach orm,
dúirt an dochtúir
go raibh frídíní
na deilgní ionam.'

18

víris

frídíní eile

'Dúirt, go deimhin,' arsa Mam.
'Tá a lán cineálacha frídíní ann agus
oibríonn siad ar bhealaí éagsúla.
Deir na heolaithe go bhfuil
dhá ghrúpa díobh ann. **Víris**
a thugtar ar ghrúpa amháin acu.
Is víris iad frídíní an tslaghdáin
agus frídíní na deilgní.'

'Is ea,' arsa Eoin, 'ach nach bhfuil
frídíní ann freisin a dtugtar baic…
nó focal éigin mar sin — orthu?'

'**Baictéir**,' arsa Mam.
'Grúpa eile frídíní iad sin.
Is aoibhinn le **baictéir** salachar.
Má itheann tú bia salach, nó mura
níonn tú do lámha roimh bhéilí,
tugann sin seans do na drochbhaictéir
dul isteach i do cholainn.'

Ghlan Eoin a shrón.
'An scriosann na fuilchealla bána
na baictéir freisin?' a d'fhiafraigh sé.

'Scriosann siad iad, ach
ar bhealach eile,' arsa Mam.

'Nuair a éiríonn le drochbhaictéir
fáil isteach i do chuid fola tagann
na cealla bána agus alpann siad iad.'

'Maith iad!' arsa Eoin.
'Mo ghraidhin
na fuilchealla!'

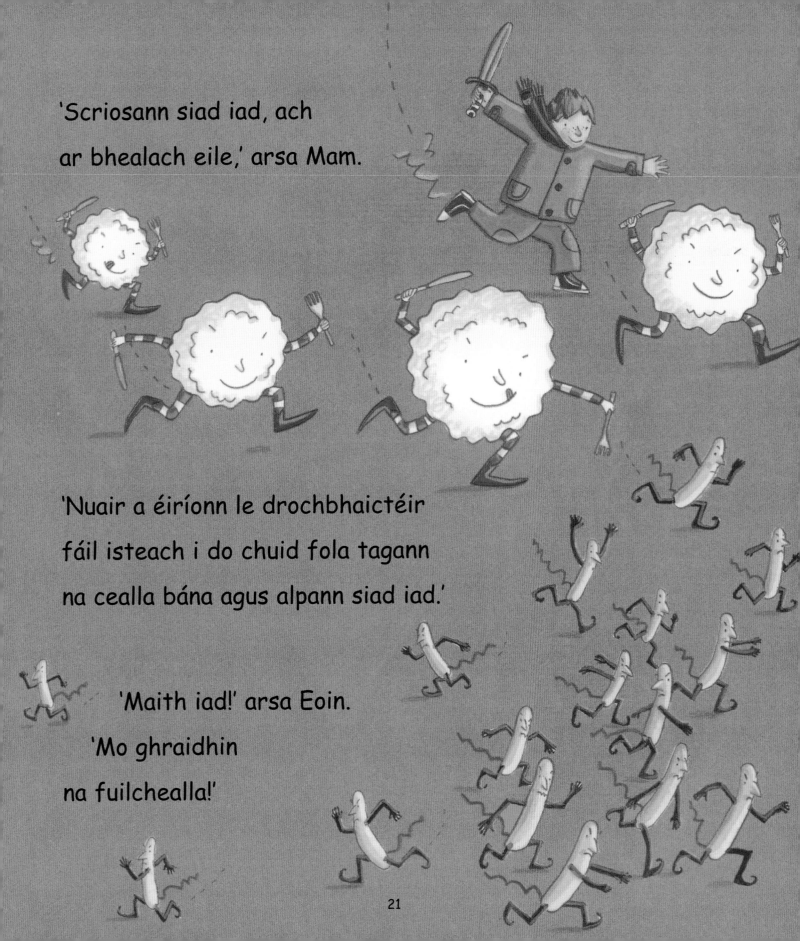

'Cén áit ar fhoghlaim tú faoi na baictéir?' arsa Mam.

Thaispeáin Eoin a uillinn di.
'Lá dár thit mé ar scoil, ghlan an múinteoir an salachar as an gcneá agus chuir sí ungadh uirthi chun na baic-rudaí a mharú.'

'Na **baictéir**,' arsa Mam.

'Is ea,' arsa Eoin. 'Dúirt
an múinteoir go gcabhródh
an t-ungadh chun na baictéir
a mharú agus ansin go bhfásfadh
gearb chun iad a choinneáil amach.
"Níl sa ghearb," a dúirt sí, "ach
fuil atá éirithe crua." '

'Sin é an áit a dtagann
na **pláitíní** isteach sa scéal,'
a mhínigh Mam.
'Tagann na billiúin **pláitíní**
agus **fuilchealla dearga**
le chéile in aon charn amháin
agus déanann siad **gearb**.'

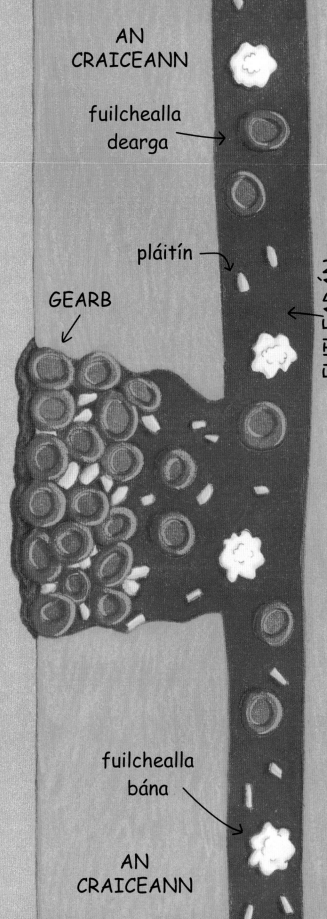

AN
CRAICEANN

fuilchealla
dearga

pláitín

GEARB

FUILEADÁN

fuilchealla
bána

AN
CRAICEANN

23

'Tuigim,' arsa Eoin, 'agus nuair
a chneasaíonn an craiceann
titeann an ghearb.'

'Sin an fáth ar gá cneácha a choinneáil glan
agus gan piocadh ar ghearba
sula mbíonn siad réidh
le titim,' arsa Mam, 'chun
nach mbeadh bealach isteach
ag na droch-bhaictéir.'

'Tá a fhios sin agam,' arsa Eoin,
'ach is maith liom a bheith
ag piocadh ar ghearba.'

CAISLEÁN na hUILLINNE!

'Ní droch-bhaictéar
gach baictéar,'
arsa Mam.
'Bíonn dea-bhaictéir
istigh ionat i gcónaí.
Cabhraíonn siad chun
tú a choinneáil folláin.
Agus bíonn dea-bhaictéir
i mbia áirithe,
cáis agus iógart, mar shampla.
Cabhraíonn dea-bhaictéir
freisin le hithir an ghairdín
a choinneáil maith.'

'An bhfuil ithir mhaith
againne?' arsa Eoin.

'Tá,' arsa Mam.
'Sin é an fáth
a mbíonn
glasraí breátha
againn!'

Lig Eoin osna.
'Spionáiste, mar shampla,
is dócha!'

Lig Mam sraoth ollmhór.

'Ó, Dia linn, a Mham!' arsa Eoin.
'Cuimhnigh ar na FRÍDÍNÍ!
Nach bhfuil ciarsúr agat?'

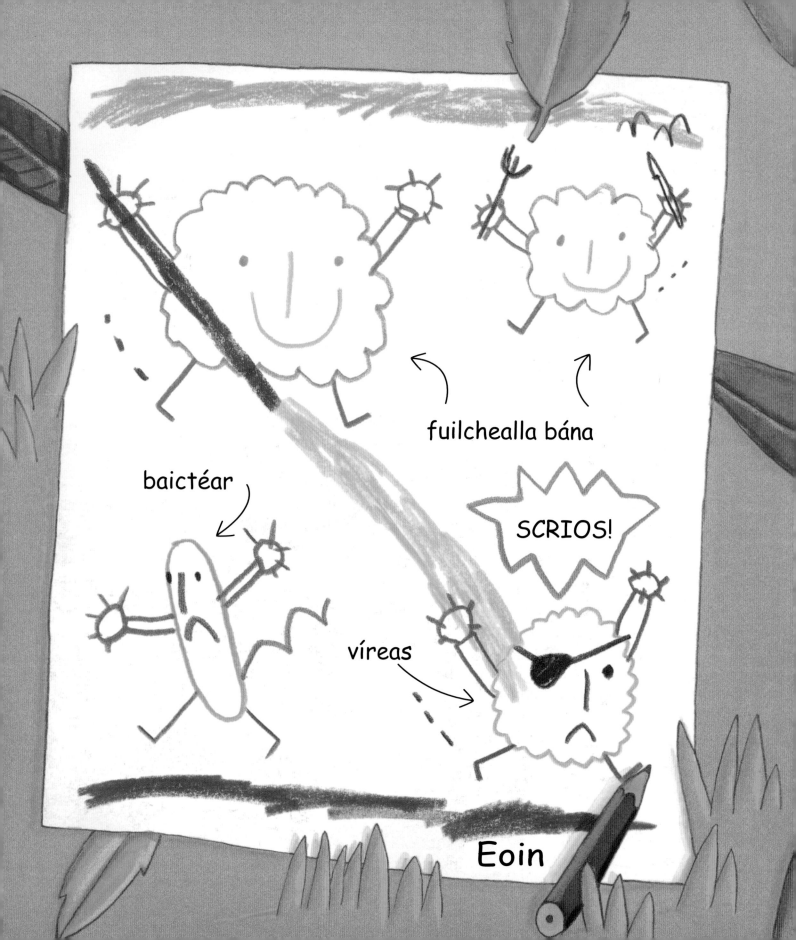